Fripon le curieux

Susan Hughes

Illustrations de
Leanne Franson

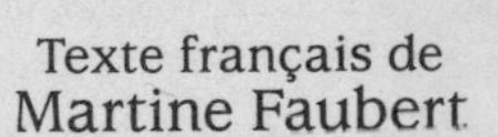

Texte français de
Martine Faubert

Crédits photographiques
Page couverture : Yorkshire-terrier © Raul Baldean/Dreamstime.com
Logo © Mat Hayward/Shutterstock.com;
© Michael Pettigrew/Shutterstock.com;
© Picture-Pets/Shutterstock.com
Arrière-plan : © Ann Precious/Shutterstock.com;
© Rashevskyi Viacheslav/Shutterstock.com
Quatrième de couverture : pendentif © Little Wale/Shutterstock.com

L'auteure tient à remercier la Dre Stephanie Avery, D.M.V., pour son expertise sur les chiots.

Catalogage avant publication de Bibliothèque et Archives Canada
Hughes, Susan, 1960-
[Cricket's close call. Français]
Fripon le curieux / Susan Hughes ; illustrations de Leanne Franson ; texte français de Martine Faubert.

(L'album des chiots ; 6)
Traduction de : Cricket's close call.
ISBN 978-1-4431-3363-0 (couverture souple)

I. Franson, Leanne, illustrateur II. Faubert, Martine, traducteur III. Titre. IV. Title : Cricket's close call. Français V. Collection : Hughes, Susan, 1960- Album des chiots ; 6

PS8565.U42C7514 2015 jC813'.54 C2015-900442-X

Édition publiée par les Éditions Scholastic, 604, rue King Ouest, Toronto (Ontario) M5V 1E1 CANADA.

6 5 4 3 2 1 Imprimé au Canada 121 15 16 17 18 19

MIXTE
Papier issu de sources responsables
FSC® C004071

À Ella Dumbo et à ses chiens,
la petite Maia et le gros Enzo

CHAPITRE UN

Des chiots ont envahi la classe! Il y a un border-collie noir et blanc sur le bureau de Mme Messier. Un samoyède à la fourrure blanche comme neige et à la queue en tire-bouchon sort la tête de la corbeille à papiers. Quatre lévriers se bousculent sur le tapis.

Catou est assise à son pupitre, le crayon à la main. Elle a fini ses problèmes de maths et elle est, en pensée, au royaume des chiots. C'est son rêve éveillé préféré.

— *Tu as une décision difficile à prendre, lui dit*

Mme Messier en souriant. Lequel vas-tu choisir?

— Je peux en avoir un? s'étonne Catou.

— Bien sûr! s'exclame Mme Messier. Tes parents ont fini par accepter.

Catou affiche un grand sourire. Mais lequel choisir? L'adorable bouledogue à la face fripée qui bondit sur la brosse du tableau? Le labrador au caractère enjoué qui se chamaille avec le caniche roux? Ou bien...

La cloche sonne.

— Allons-y! dit Béatrice.

Mais lequel choisir? Le grand danois est à croquer, le caniche blanc est trop mignon et le bouvier bernois...

— Allez, Catou! répète Béatrice qui est assise à son pupitre, à côté de Catou. La cloche a sonné. L'école est finie!

Catou cligne des yeux et reprend ses esprits. Dans sa rêverie, son enseignante venait de lui dire qu'elle pouvait avoir un chien, que ses parents étaient d'accord. Mais Catou sait très bien que c'est impossible. Ses parents lui disent toujours qu'ils n'ont pas le temps de prendre soin d'un chiot, même si elle promet qu'elle s'occupera de tout.

— Catou! Tu as dit qu'on devait se rendre au P'tit bonheur canin tout de suite après l'école. Tu te souviens? lui rappelle Béatrice en lui donnant un coup de coude

— C'est vrai, dit Catou en souriant. Dépêchons-nous!

Catou ne peut pas avoir de chiot chez elle, mais elle a presque aussi bien! Sa tante tient un salon de toilettage pour chiens qu'elle a appelé Au p'tit bonheur canin — Pension et toilettage.

Catou et Béatrice se précipitent vers la porte de la classe.

— En route pour Le p'tit bonheur canin, les filles? dit leur enseignante.

— Exactement, madame Messier, répond Catou d'un ton enjoué.

— Le salon de ta tante semble bien fonctionner, dit Mme Messier. Je suis contente pour elle.

— Tante Janine a recruté un assistant pour répondre au téléphone et s'occuper des rendez-vous, explique Catou. Il s'appelle Thomas. Mais elle est encore débordée et elle a besoin de nous quand elle a des chiots en pension.

Avant, Béatrice vivait dans une ferme à la campagne, mais sa famille a déménagé à Jolibois cet automne.

Aujourd'hui, comme presque tous les jours, ses longs cheveux roux sont nattés. Catou trouve qu'elle ressemble à Anne dans *La maison aux pignons verts.*

— Maya nous attend, ajoute Catou.

Maya est sa meilleure amie. Elles se connaissent depuis la garderie et, jusqu'à cette année, elles ont toujours été dans la même classe. Mais cette fois, Maya est dans une classe de 3e et 4e années et Catou dans une classe de 4e et 5e années. Catou et Béatrice, qui est nouvelle à l'école, sont devenues amies. Puis Béatrice et Maya aussi.

Catou et Maya apprennent à mieux connaître leur nouvelle camarade qui est peu bavarde et a du mal à exprimer ce qu'elle ressent. Mais les trois amies ont une chose très importante en commun : elles adorent les chiens!

— Amusez-vous bien! leur dit Mme Messier chaleureusement.

Catou et Béatrice sortent vite de l'école. Maya les attend sous le grand chêne, à la sortie de la cour.

— Quelles lambines! s'exclame celle-ci en voyant approcher ses amies.

Elle met ses mains sur ses hanches et fait semblant de bâiller.

— Je vous attends depuis une éternité, ajoute-t-elle.

— Pardon, dit Béatrice. On ne l'a pas fait exprès.

Catou se contente de sourire. Elle sait qu'il ne faut pas s'en faire avec les taquineries de Maya.

— D'accord, vous êtes pardonnées, dit Maya en se montrant magnanime.

Puis elle fait un clin d'œil à Catou et ajoute :

— Mais seulement si vous me donnez la réponse.

Elle interroge Béatrice du regard. Celle-ci fronce les sourcils, puis jette un coup d'œil inquiet à Catou, puis à Maya.

— La réponse! répète Maya. La réponse à la blague de Catou-Minou!

Tous les jours, Catou raconte une blague à ses amies, souvent sous forme de question. Parfois, elle le fait le matin avant d'entrer en classe, et ses amies doivent attendre la fin de la journée pour connaître la réponse.

Ce matin, la question était : « Comment fait-on pour empêcher son chien d'aboyer devant chez soi? »

— Oui, c'est ça! dit Béatrice à Maya, avec un

sourire. Mais es-tu certaine de vouloir entendre la réponse? Tu sais, ce sera sans doute une autre mauvaise blague!

— Tu as sans doute raison, dit Maya. Mais le suspense a assez duré. Je veux savoir. Allez, Catou, la réponse!

— D'accord, dit Catou en haussant les épaules. Vous l'aurez voulu. Alors, comment fait-on pour empêcher son chien d'aboyer devant chez soi? (Elle fait une petite pause.) On l'emmène derrière la maison!

— Grrr! font Maya et Béatrice.

— La pire de tous les temps! reprend Maya en riant.

Et elles pressent le pas en direction du P'tit bonheur canin.

CHAPITRE DEUX

La cloche tinte au-dessus de leur tête quand Catou, Maya et Béatrice entrent dans le salon de toilettage de tante Janine.

— Bonjour, mesdemoiselles! dit Thomas en les saluant de la main de derrière le comptoir.

Thomas est le nouvel assistant de tante Janine.

— Ta tante sera à toi dans un instant, dit-il à Catou.

Marmelade, la vieille chatte tigrée de Thomas, est assise sur le comptoir. Elle a 15 ans. Thomas prétend qu'elle le suit partout.

— Bonjour, Marmelade! dit Béatrice.

Elle s'approche et la caresse. Bien entendu, Marmelade l'ignore.

— Oui, je sais, dit Béatrice. Tu n'aimes pas les gens, hein?

Marmelade refuse de la regarder, mais elle ne peut pas s'empêcher de ronronner de plaisir.

Comme d'habitude, la salle d'attente est bondée de clients. Une jeune fille habillée d'un jean et d'un tee-shirt apprend à son colley barbu à donner la patte. Un caniche de taille moyenne est assis aux pieds d'une dame coiffée d'un chignon, qui porte un élégant tailleur, un collier de perles et des lunettes chics. Deux solides gaillards sont assis sur le canapé. Ils portent chacun un blouson de cuir noir, un pantalon à clous argentés et des bottes noires. L'un est chauve et l'autre a une moustache. Ils ont tous les deux un casque de moto posé sur les genoux. *Ce sont des durs à cuire,* se dit Catou.

— Berger allemand, dit Maya. Ou doberman.

C'est un des jeux préférés de Catou et de Maya.

En voyant une personne, elles essaient de trouver la race de chien à laquelle elle ressemble le plus. Souvent, elles devinent juste.

Catou approuve d'un signe de tête. Bien trouvé : des chiens costauds, comme ces deux gaillards.

La porte de la salle de toilettage s'ouvre. Tante Janine apparaît, vêtue de sa blouse bleu pâle. Sa queue de cheval est à moitié défaite. Elle tient dans ses bras deux carlins noirs portant un collier avec des clous argentés.

Les deux motards se lèvent. Catou et Maya se

regardent, les yeux écarquillés. Elles se cachent la bouche de la main pour étouffer leur rire.

— Et voilà! dit tante Janine. Je vous rends Boule et Bill.

Elle tend les chiens aux deux motards qui les prennent et les serrent contre leur poitrine.

— Comme vous le savez, les carlins n'ont pas besoin d'être tondus, dit tante Janine. Mais je leur ai donné un bain et j'ai nettoyé les plis de leur face. Je leur ai aussi nettoyé les oreilles et je leur ai coupé les moustaches et les griffes.

— Merci beaucoup, dit le motard chauve.

— Oui, merci beaucoup, ajoute le motard à la moustache.

— On ne te doit plus rien, hein, bonhomme? dit le motard chauve à Thomas.

Thomas fait non de la tête et les salue de la main.

Les deux hommes remettent leurs casques, puis chacun sort de la poche de son blouson une petite paire de lunettes pour son carlin. Boule et Bill remuent joyeusement leur queue en tire-bouchon.

— On y va, madame! dit le motard chauve.

— Prêts pour le départ! dit l'autre.

Les fillettes et tous les clients présents dans la salle d'attente les regardent sortir du salon, sangler les deux carlins dans le panier attaché à leur moto, puis démarrer.

— Et maintenant, je suis à vous mes chéries, dit tante Janine avec un grand sourire. Venez avec moi.

La pièce est équipée de deux grandes tables de toilettage et de deux stations de séchage. Sur d'autres tables se trouvent des paniers remplis de ciseaux, de rasoirs, de brosses, de bouteilles de shampoing et d'autres accessoires de toilettage.

— Merci d'être venue, ma chouette, dit affectueusement tante Janine à Catou. Et merci à vous aussi, Maya et Béatrice. C'est formidable de pouvoir compter sur vous. Vous formez vraiment un trio du tonnerre!

— C'est toujours un plaisir de te rendre service, dit Catou en souriant. Que peut-on faire pour toi aujourd'hui? On a hâte de savoir!

— Eh bien, comme d'habitude, vous aurez à vous occuper d'un chiot qui vient d'arriver en pension, dit tante Janine. Thomas est fantastique et m'aide énormément avec le téléphone, les rendez-vous et la comptabilité. Le matin, il garde un œil sur notre pensionnaire tant qu'il n'est pas trop occupé. Moi, je prends le toutou avec moi en haut quand j'ai fini ma journée et je m'occupe de lui le soir.

Elle ouvre grand les bras, en signe d'impuissance.

— Vous savez bien que ce n'est pas suffisant. J'ai donc besoin de votre aide, ajoute-t-elle en mettant une gomme à mâcher dans sa bouche. Nous avons un chiot yorkshire-terrier en pension jusqu'à samedi soir. Il a trois mois et s'appelle Fripon. Les yorkshires sont de très petits chiens, même à l'âge adulte, et leurs chiots sont minuscules. Fripon pèse moins d'un demi-kilo!

— Oh là là! roucoule Maya.

— Mais il ne faut pas le sous-estimer, poursuit tante Janine. Il déborde d'énergie. Il est pire qu'un diable à ressort! Alors, qu'en pensez-vous? Vous sentez-vous capables de jouer avec lui et de l'emmener au parc?

Tante Janine fait une grosse bulle rose avec sa gomme.

— Oui! s'exclame Catou, enthousiaste. Génial!

Maya et Béatrice approuvent de la tête, tout aussi convaincues.

— Alors, suivez-moi, je vais vous le présenter, dit tante Janine.

Elle ouvre la porte et traverse la salle d'attente. Sa queue de cheval sautille au rythme de ses pas. Les fillettes la suivent dans le couloir, puis dans la garderie. C'est une grande pièce dotée de fenêtres qui donnent sur une vaste cour. Dans la garderie, une zone clôturée rappelle un parc pour les tout-petits. Un escalier mène à l'étage où se trouvent une salle de dressage pour les chiots et le logement de tante Janine.

Quatre grandes cages sont rangées côte à côte. L'une d'entre elles contient un petit coussin en peluche, mais Catou ne voit pas de chiot.

Elle s'approche et soudain, elle aperçoit un minuscule yorkshire au poil noir et brun clair, pelotonné contre le bord du coussin.

— Oh mon doux! murmure Béatrice. C'est Fripon? Il dort comme un bébé!

Les fillettes et tante Janine regardent sans bouger la petite boule de poil endormie.

— Il est vraiment microscopique, murmure Maya.

Fripon se met à bouger. Il bâille, les yeux encore fermés. Couché sur le côté, il s'étire. Il allonge d'abord ses deux pattes de devant, puis celles de derrière.

Il bâille de nouveau et ouvre les yeux.

— Bonjour, toi! dit Catou.

Fripon se lève d'un bond et remue la queue. Il dresse les oreilles et ses yeux noirs brillent de malice.

Catou éclate de rire et tape dans ses mains. Ce chiot est si mignon avec sa truffe noire et ses yeux foncés, ronds comme des billes!

Tante Janine tend les bras et soulève le chiot.

— Voici donc notre pensionnaire! dit-elle en lui flattant la tête. Sa propriétaire, Rachel, étudie pour devenir dentiste. Elle est arrivée à Jolibois il y a quelques semaines. Elle est venue faire un stage chez le docteur Couvrette. Celui-ci l'a envoyée à un colloque qui a lieu dans une autre ville. Comme elle n'a ni famille ni amis en ville, elle m'a demandé de prendre Fripon en pension trois jours, jusqu'à samedi soir.

Tante Janine regarde Fripon droit dans les yeux.

— Alors, mon mignon, qu'en dis-tu? As-tu envie que les filles jouent avec toi et t'emmènent en promenade?

Fripon gigote de plaisir. Catou aperçoit sa petite

langue rose qui pointe entre ses babines. Le chiot embrasse tante Janine sur la joue.

— L'affaire est dans le sac, mon coco! déclare tante Janine. À condition bien sûr que les filles se sentent capables de se débrouiller avec une grosse bête féroce comme toi!

— On va essayer, répond Catou en riant.

— Je vous fais confiance, dit tante Janine. Sa laisse est de ce côté et les biscuits pour chiens, là-bas, comme d'habitude. Maintenant, je vous le confie. Il faut que j'y aille!

Elle tend Fripon à Catou, fait une dernière bulle rose avec sa gomme, salue les fillettes de la main et retourne s'occuper de ses clients.

CHAPITRE TROIS

— Il est léger comme une plume! s'étonne Catou. On dirait que j'ai un oisillon dans la main!

Béatrice s'approche et caresse doucement le chiot du bout des doigts.

— Oh! Il est si petit! s'exclame-t-elle. Et si doux!

Maya place sa main à côté de Fripon.

— Il est à peine plus grand que ma main! fait-elle remarquer.

Fripon adore qu'on s'occupe de lui. Il reste gentiment assis au creux des mains de Catou et laisse les fillettes le caresser. Le noir de sa fourrure souligne sa silhouette. Son dos, son cou, le dessus de sa tête ainsi qu'une pointe entre ses yeux sont tout noirs, tandis que le reste de son corps est d'un beau brun roux.

Tout à coup, il se met à gigoter.

— D'accord, dit Catou. Je te dépose par terre.

Dès qu'il touche le plancher du bout de ses pattes, il fonce vers les étagères pour les explorer. Il découvre sa laisse sur la première tablette. Curieux, il se met à la pousser avec sa truffe. La laisse tombe, et le chiot recule d'un bond et gratte le plancher avec ses pattes. Il glapit une fois, deux fois, sans quitter la laisse des yeux.

Puis, rassemblant tout son courage, il s'approche de la laisse et se remet à glapir.

— Il est très fougueux, dit Maya, impressionnée.

Catou approuve d'un signe de tête.

— C'est courant chez les yorkshires, explique-t-elle. Leur nom vient d'une région du nord de l'Angleterre où, autrefois, il y avait de nombreuses

mines de charbon. Les yorkshire-terriers étaient les meilleurs chasseurs de rats dans les mines et les moulins. Leur petite taille ne les empêchait pas de tenir tête aux rats les plus gros et les plus féroces.

Maya regarde Catou avec un petit sourire.

— Merci pour ta leçon tirée des *Races de chiens dans le monde,* dit-elle à Catou.

C'est le livre préféré de Catou. Elle l'a sûrement lu une bonne centaine de fois. En plus de ça, elle passe des heures à visiter des sites Internet à propos des chiens. Elle veut tout savoir à leur sujet.

— *Beurk!* fait Béatrice, frissonnant de dégoût. Des rats!

Fripon recommence à glapir devant la laisse. Puis il bondit, l'attrape dans sa gueule et la secoue dans tous les sens.

— Hé, mon toutou! lui dit Catou. Quel courage! Tu as attrapé cette satanée laisse. Mais là, tu dois la lâcher, sinon tu vas la réduire en miettes.

Elle s'accroupit à côté du chiot et essaie de lui pendre la laisse, mais impossible.

— Viens, Fripon! appelle Maya.

Elle tape sur ses genoux, sautille sur place et fait mine de partir en courant.

— Allez, viens! répète-t-elle. Essaie de m'attraper!

Elle s'éloigne de Fripon de quelques pas.

Les yeux du chiot se mettent à briller. Il oublie la laisse et se lance à la poursuite de Maya. La fillette traverse la pièce à grands bonds dans un sens, puis dans l'autre, et Fripon est ravi de la pourchasser.

— Bien joué, Maya! lui crie Béatrice en prenant la laisse.

— Et si on l'emmenait tout de suite au parc? propose Catou. Il est encore tôt et il a beaucoup d'énergie à dépenser.

— D'accord, dit Maya. Ma mère ne s'attend pas à me voir rentrer bientôt. Je lui ai dit que je devais venir ici et que ta tante nous demanderait probablement de l'aider à s'occuper d'un nouveau chiot.

— Pareil pour moi, ajoute Béatrice.

— Parfait! s'écrie Catou. Mets-lui sa laisse et allons-y!

Les fillettes préviennent Thomas qu'elles emmènent Fripon avec elles, puis prennent la direction du parc. Le p'tit bonheur canin est situé dans la rue principale de Jolibois et le parc est loin. Catou habite à quelques rues du parc et Maya, à l'autre bout de la ville, de l'autre côté de l'école. Elles ne sont pas voisines, mais ça ne les empêche pas de passer beaucoup de temps ensemble.

Béatrice habite depuis peu dans une rue qui longe le parc. Quand elle s'est liée d'amitié avec Catou et Maya, elle leur a dit qu'elle avait déménagé avec sa famille à Jolibois pour se rapprocher de ses grands-parents. Elle aimait vivre à la ferme, mais vivre près du parc est, pour elle, presque aussi bien.

Il leur faut un bon moment pour faire le trajet jusqu'au parc. Fripon aperçoit une feuille qui vole au vent et bondit dessus. Puis il en voit une autre. Il passe devant Béatrice pour l'attraper. Puis il en attrape une autre, et une autre et une autre encore.

Il passe entre les jambes de Béatrice, puis il la contourne. Finalement, la laisse est tout emmêlée autour des jambes de la fillette, et le chiot ne peut plus bouger.

Catou les aide à se dépêtrer, puis le groupe se remet en route. Soudain, Fripon fonce vers une haie, puis disparaît dans les feuilles des branches basses.

— Un Fripon porté disparu! annonce Maya en s'esclaffant.

— Allez Fripon! appelle Béatrice. Viens par ici, p'tit bout d'chou!

Elle tire sur la laisse. Le chiot bondit hors des branchages, tenant fièrement un trognon de pomme dans sa gueule.

— Oh non! s'exclame Catou.

Elle se penche et tente de lui prendre le trognon de pomme. Mais plus elle tire, plus le chiot serre la mâchoire.

— Tu as vraiment la tête dure pour un si petit chiot, lui dit-elle.

— Essaie de lui offrir quelque chose en échange,

suggère Maya. C'est la seule façon d'y arriver, apparemment.

Catou sort un biscuit de sa poche.

— Regarde ce que j'ai, Fripon! dit-elle pour le tenter. Un beau biscuit pour toi!

Elle lui tend la friandise. Le chiot laisse tomber le trognon de pomme et prend gentiment le biscuit.

— Bravo! le félicite-t-elle.

— Excellent! dit Béatrice. On continue.

Les fillettes et le chiot reprennent leur marche.

Ils sont presque arrivés à la rue suivante quand Fripon décide de se coucher sur le trottoir. Il pose la tête entre ses pattes et regarde les fillettes de ses beaux yeux brun foncé, l'air de leur dire : « Je suis fatigué! »

— Pauvre petit trésor! Je vais te porter un peu, d'accord? dit Maya en le soulevant. Oh! Ton poil est doux comme de la soie et tu es léger comme une plume! Si tu te cachais dans mon sac d'école, je ne m'en rendrais même pas compte.

Quelques minutes plus tard, les trois amies arrivent au parc avec Fripon.

— Maintenant tu redescends, dit Maya en déposant le chiot sur la pelouse.

Les yeux du chiot pétillent. Ses oreilles bougent dans tous les sens. Il frémit d'excitation.

— C'est l'heure de courir! crie Catou. Vous êtes prêtes toutes les deux?

— Prêtes! réplique Maya. Un, deux trois...

— Partez! crie Béatrice.

Et elles se mettent à courir avec Fripon.

CHAPITRE QUATRE

Les fillettes jouent avec Fripon jusqu'à la fin de l'après-midi. Elles le laissent pourchasser les feuilles qui volent au vent. Elles lui lancent des bâtons. Le chiot déborde d'énergie. Il court dans tous les sens et Catou rit de voir ses petites pattes bouger si vite. Il est vraiment infatigable!

Au bout d'un moment, elles emmènent Fripon dans la partie du parc que Catou aime le plus : le bosquet au sommet de la colline.

— Ouf! dit Béatrice en bâillant. Asseyons-nous un moment.

Les fillettes s'installent confortablement dans l'herbe. Leurs regards se perdent dans le lointain, vers les champs qui s'étendent à l'horizon, au-delà des maisons. *Tout est tellement paisible ici*, se dit Catou en soupirant de plaisir.

Une brise légère secoue les feuilles des arbres. Des feuilles jaunes et orange tombent au sol en tourbillonnant.

Catou se met à rire en voyant Fripon les attaquer les unes après les autres.

— On dirait un chaton, ajoute-t-elle en observant le yorkshire.

— Oui, mais un chaton féroce, ajoute Maya avec un sourire.

Soudain, Fripon se pelotonne et s'endort sur-le-champ.

— Oh! le chanceux! dit Béatrice en bâillant. Si seulement je pouvais m'endormir aussi vite!

— Pourquoi dis-tu cela? demande Catou.

— Oh, juste comme ça, réplique Béatrice très vite.

— Tu as du mal à dormir? ajoute Maya.

Béatrice se lève et se met à ramasser des feuilles d'automne joliment colorées.

— Non, non, dit-elle. N'en parlons plus.

Maya fronce les sourcils et croise les bras. Elle s'apprête à dire autre chose à Béatrice..

Oh non! se dit Catou. *Ça recommence!*

Maya et Béatrice sont... Eh bien, disons qu'elles ne s'entendent pas toujours bien.

— Hé! s'empresse de dire Catou. Je viens de me rappeler une blague!

Béatrice prend un air soulagé.

— Oh non! fait-elle comme si elle protestait.

— Eh oui! dit Catou. La voici : Qu'est-ce qu'un canif?

— Ça va, donne-nous tout de suite la réponse, dit Maya. On connaît ton genre de blagues!

— Un petit fien! s'esclaffe Catou.

— Grrr! crie Béatrice.

— Très mauvaise, confirme Maya.

Puis elles passent le temps en discutant des races de chiens qu'elles préfèrent. Au bout d'un moment Fripon se réveille.

— Fripon! crie Maya. Bonjour, toi!

Le chiot remue la queue et saute sur les genoux de Maya qui gratouille et tapote sa petite tête.

Puis elle le soulève et l'embrasse.

— Oh mon doux! s'exclame-t-elle. Tu es si adorable!

Les trois fillettes et le chiot redescendent la colline en courant et continuent de jouer ensemble encore un peu.

— Fripon déborde vraiment d'énergie, dit Catou. Il est incroyable!

Le petit yorkshire saisit un bâton qui est presque quatre fois plus long que lui. Il est si lourd qu'il ne peut en soulever qu'une seule extrémité. Mais ça ne l'empêche pas de jouer. Il se met à le traîner dans l'herbe.

— Allons, Fripon, lui dit Béatrice. Ce bâton est beaucoup trop long pour un tout petit chiot.

— Oui, laisse tomber, dit Maya. Il est trop gros pour toi!

Fripon refuse d'abandonner la partie. Catou regarde autour d'elle, mais ne trouve rien à échanger contre le bâton. Puis elle a une idée.

— Un, deux... se met-elle à compter.

À trois, Béatrice et Catou appellent Fripon, puis partent en courant.

Maya, qui tient la laisse, fait mine de courir sur place.

— Allez, Fripon! crie-t-elle. Cours les rattraper!

Fripon lâche le bâton, relève la tête, les oreilles dressées, et se lance à la poursuite de Béatrice et de Catou à grands bonds. Maya les suit, morte de rire.

L'heure est venue de rentrer au P'tit bonheur canin. Elles sont rendues à mi-chemin quand Fripon s'arrête brusquement. Il s'allonge sur le trottoir et pose la tête entre ses deux pattes. Il remue la queue, mais refuse d'avancer.

— Encore fatigué? lui demande Catou. Pas étonnant!

Elle le soulève. Elle est heureuse d'avoir cette excuse pour le prendre dans ses bras. Elle l'approche de son visage et presse sa joue contre la douce fourrure.

— Mon petit trésor! lui susurre-t-elle à l'oreille.

Elle sent le petit baiser de Fripon sur sa joue. Puis il se recroqueville dans ses bras pour le reste du trajet jusqu'au P'tit bonheur canin.

Les fillettes remettent Fripon dans sa cage, puis lui disent au revoir.

— Tu vas t'amuser avec tante Janine ce soir, lui dit Catou. Et demain après-midi, on reviendra jouer avec toi.

Maya, Béatrice et Catou ramassent leurs sacs à dos. En quittant le salon, Maya salue ses deux amies et descend la rue principale pour rentrer chez elle.

Catou et Béatrice prennent la direction du parc. Puis, elles arrivent à l'endroit où Béatrice doit tourner à gauche.

— À demain à l'école! dit-elle.

— Hé! dit Catou qui vient d'avoir une bonne idée. Je vais demander à maman si Maya et toi pouvez venir souper à la maison demain, quand on aura fini de jouer avec Fripon. On pourrait travailler sur notre album de chiots. Ce serait super!

Maya et Catou ont commencé cet album il y a

déjà quelque temps. Elles n'ont pas le droit d'avoir un chien chez elles, mais ça ne les empêche pas de penser tout le temps à leurs amis à quatre pattes. Elles dessinent des chiots de toutes les races et vont sur Internet pour télécharger des photos de chiots qu'elles trouvent mignons. Ensuite, elles les collent dans un grand album et écrivent une description de chaque race. Quand elles se sont mises à aider tante Janine à son salon, elles ont décidé d'ajouter les chiots qu'elles y rencontraient. Puis Béatrice est devenue leur amie et elles l'ont invitée à participer à leur album.

— Génial! dit Béatrice. Appelle-moi si ta mère est d'accord.

— Entendu! répond Catou en la saluant de la main.

CHAPITRE CINQ

La cloche sonne.

— Bonne fin de semaine, les enfants, dit Mme Messier.

— Merci, madame Messier! répondent les élèves. Bonne fin de semaine à vous aussi.

Catou et Béatrice saluent leur enseignante avant de sortir de la classe.

— J'ai trop hâte de revoir Fripon! dit Béatrice.

— Moi aussi, renchérit Catou.

— Et merci de m'avoir invitée à souper et à

travailler à l'album des chiots, ajoute Béatrice.

— On va bien s'amuser, dit Catou avec un grand sourire.

Béatrice se couvre la bouche de la main pour dissimuler un bâillement.

— Tu es encore fatiguée, dit Catou, soucieuse.

Béatrice, le regard fuyant, reste muette.

Les deux fillettes prennent leurs sacs à dos et leurs vestes, puis sortent dans la cour de l'école. Catou aperçoit Maya près de la clôture. Celle-ci les salue de la main.

— Tu as encore mal dormi hier soir? demande Catou à Béatrice.

Visiblement contrariée, Béatrice hoche la tête.

Mais elles sont interrompues par quelqu'un qui pose une main sur le bras de Catou en disant :

— Salut Catou!

Béatrice semble soulagée, comme si elle était contente de ne pas devoir expliquer à Catou ce qui la tracasse.

C'est Olivier. Il salue Catou d'une drôle de façon,

même s'il se trouve à côté d'elle.

— Je voulais juste te dire au revoir et bonne fin de semaine, annonce-t-il. Et aussi, à lundi.

— Oui, d'accord, répond Catou distraitement. À toi aussi, Olivier.

— Et à toi aussi, Béatrice, ajoute Olivier.

— Merci, dit Béatrice. À toi aussi, Olivier.

— Bon, ben... c'est tout, reprend Olivier.

Catou est un peu mal à l'aise. Des élèves de sa classe la taquinent au sujet d'Olivier en disant qu'il est amoureux d'elle. Souvent, quand il est avec Catou, il ne trouve pas ses mots. Et il rougit. Maya et Catou trouvent qu'il ressemble à un basset, à cause des oreillettes de son chapeau. Il l'a tout le temps sur la tête. Maya prétend qu'il a les yeux langoureux, surtout quand il regarde Catou.

C'est n'importe quoi, se dit-elle.

Olivier l'aime bien et elle l'aime bien aussi. Ils sont bons amis, mais rien de plus.

Catou hoche la tête.

— Très bien, Olivier, dit-elle. Merci.

Le pauvre garçon reste planté là et lui sourit. Il la regarde, se tourne vers Béatrice, puis la regarde de nouveau. On dirait qu'il veut lui dire quelque chose, mais qu'il n'ose pas en présence de Béatrice.

Catou est bien contente que son amie soit là. Sans savoir pourquoi, elle n'a pas envie d'entendre ce qu'Olivier veut lui dire.

— Bon, eh bien… Au revoir, dit Catou.

Elle jette un coup d'œil à Béatrice qui n'est plus du tout contrariée. On dirait qu'elle se retient de rire.

— Olivier! appelle Sanjit qui est à l'autre bout du terrain de jeu. Oli! Tu viens, oui ou non?

Il tient une balle et un gant de baseball.

— Je dois y aller, s'excuse Olivier.

Mais il reste planté là.

— Oui, et nous aussi, dit Béatrice en prenant Catou par le bras. On doit se rendre au salon de tante Janine pour s'occuper d'un chiot. D'ailleurs, Maya nous attend.

Elle montre du doigt Maya qui, les poings sur les hanches, les regarde d'un air impatient.

Olivier hoche la tête, mais reste toujours planté là. Béatrice et Catou rejoignent Maya en courant.

Béatrice ne peut plus se retenir de rire.

Maya ne lui demande même pas ce qui est drôle. Elle la regarde simplement d'un air entendu et lui dit :

— Il avait les yeux langoureux, hein!

Et Béatrice pouffe de rire.

Même si Maya se moque d'elle, Catou apprécie la complicité de ses deux amies.

— Hé! Ho! Vous deux! proteste-t-elle en faisant semblant d'être offusquée. Si ça continue, on va être en retard au P'tit bonheur canin.

Les trois amies courent jusqu'au salon de toilettage. En arrivant, elles se précipitent dans la salle de garderie, jettent leurs sacs à dos par terre et vont vite saluer Fripon. Tout content de les retrouver, il saute sur place en remuant la queue.

Catou le sort de sa cage et le serre contre sa poitrine.

— Bonjour, cher petit trésor! murmure-t-elle à son oreille. Comment vas-tu aujourd'hui?

Elle le dépose et il court saluer Maya et Béatrice. Puis il fonce vers les sacs à dos et bondit sur une courroie. Il la secoue dans tous les sens en grognant férocement.

Béatrice va le rejoindre en riant.

— Hé! dit-elle. Arrête! Tu vas l'arracher!

Têtu comme toujours, le petit yorkshire refuse d'écouter.

— Béatrice... commence à dire Maya.

— Oui, oui, s'empresse d'ajouter Béatrice. Je sais, il faut lui proposer autre chose en échange.

Elle va chercher un jouet dans le panier. Elle revient et fait couiner le jouet plusieurs fois.

— Eh, regarde Fripon, dit-elle. Regarde ce que j'ai pour toi!

Elle laisse tomber le jouet à côté du chiot qui ne peut pas résister à la tentation. Il lâche la courroie et saisit le jouet dans sa gueule.

— Bravo! crie Maya.

— Bien joué, Béatrice! s'exclame Catou. Maintenant, Fripon, on va prendre ta laisse pour aller au parc!

C'est une belle journée d'automne ensoleillée et, en chemin, les trois fillettes s'amusent follement avec le petit yorkshire qui court à grands bonds. On dirait qu'il sait où elles l'emmènent. Comme la première fois en apercevant le parc, ses yeux brillent et ses oreilles bougent dans tous les sens.

Les trois amies traversent la pelouse avec lui.

— Sa maîtresse lui a vraiment trouvé le nom

parfait, dit Maya qui le tient en laisse. C'est un chiot très coquin!

Il a plu un peu plus tôt dans l'après-midi et l'herbe est encore humide. Elle n'est pas très haute, mais le chiot est si petit qu'elle lui arrive aux épaules. Fripon est vite trempé. Son poil bouclé frise encore plus maintenant qu'il est mouillé.

— Oh! s'exclame Catou avec un grand sourire. Comme il est mignon!

Les fillettes lui lancent un bâton. Puis elles en ramassent d'autres et les alignent par terre. Elles font courir le chiot qui saute par-dessus les bâtons, l'un après l'autre.

Une dame arrive au parc avec son grand danois. En apercevant ce géant, Fripon se met à aboyer frénétiquement. Le danois l'examine. Pas impressionné pour deux sous, le chiot glapit pour l'avertir de ne pas empiéter sur son territoire.

La dame ne peut s'empêcher de sourire.

— Tu as gagné, p'tit bout d'chou! Tu es beaucoup trop féroce pour mon Brutus, dit-elle en s'éloignant avec son chien.

Les fillettes éclatent de rire.

Puis il est l'heure de retourner au P'tit bonheur canin. Comme la veille, Fripon n'a plus la force de rentrer à pied. Après quelques pâtés de maisons, Béatrice le prend dans ses bras à son tour.

— Tu es sale et trempé, mais je m'en moque, dit-elle au chiot en l'embrassant sur la tête.

Catou sourit de voir son amie fondre de tendresse pour ce chiot fatigué et en piteux état.

CHAPITRE SIX

— On ne devrait pas poser Fripon tout de suite par terre, dit Béatrice en entrant dans le salon de toilettage avec le chiot dans ses bras. Il est sale et va faire des dégâts sur le plancher.

— En effet, dit Thomas en se levant derrière le comptoir. Il a vraiment besoin d'un bon bain! Et vite!

Deux clients sont assis avec leurs chiens dans la salle d'attente. Ils approuvent d'un signe de tête.

— Et ce sera ça de moins à faire pour tante Janine, dit Catou.

Elle est très contente, car elle n'a jamais baigné un chiot.

— Voyons voir! dit Thomas. Ta tante est dans la salle de toilettage où elle fait une nouvelle coupe à un caniche et il n'y a pas d'évier dans la garderie.

Il réfléchit. Soudain, son visage s'éclaire.

— Je sais ce qu'on va faire! s'exclame-t-il. Fripon est si petit que vous pourrez sans doute le laver dans le lavabo des toilettes.

— Bonne idée! dit Catou, contente de la trouvaille de Thomas.

Marmelade, qui est couchée sur le comptoir, jette un regard méprisant au chiot crasseux.

— Marmelade, tu as envie de prendre un bain toi aussi? dit Thomas en faisant un clin d'œil aux fillettes. Quand Fripon aura terminé, ce sera ton tour.

La chatte tigrée se lève, dresse la queue en l'air, marche dignement jusqu'à l'autre bout du comptoir, puis se recouche en soupirant.

Les fillettes éclatent de rire.

— C'est bien ce que je pensais! dit Thomas, le sourire en coin.

Puis il prend un flacon sous le comptoir et le tend à Catou.

— Voici du shampoing pour chiens et tu trouveras des serviettes de ce côté, dit-il en montrant une étagère du doigt.

Catou, Maya et Béatrice entrent toutes les trois dans les toilettes avec Fripon. Maya remplit l'évier avec de l'eau tiède. Béatrice lui tend le shampoing.

— Allons-y, p'tit bout d'chou! dit Catou.

D'un geste délicat, mais ferme, elle dépose Fripon dans l'évier. Le chiot, debout dans l'eau, est tendu. Il frissonne, mais regarde Catou d'un air confiant.

— Bon chien! murmure-t-elle pour le féliciter.

Béatrice laisse tomber quelques gouttes de shampoing sur son dos. Maya le fait mousser avec ses doigts, en insistant sur l'échine et les pattes.

— Veille à ce qu'il n'ait pas d'eau dans les oreilles ni dans les yeux, dit Catou.

— Tu as raison, dit Béatrice. En fait, il vaut mieux

éviter de lui mouiller la tête.

— Hé! s'exclame Maya. J'allais oublier! J'ai apporté mon appareil photo!

Elle sort de la pièce en courant et revient la seconde d'après, son appareil à la main.

— Je vais prendre des photos pour l'album des chiots, dit-elle.

Et elle s'exécute tandis que Béatrice et Catou continuent de laver Fripon.

— Il a l'air encore plus petit quand il est mouillé, fait remarquer Béatrice. Un vrai lilliputien.

— Tu as raison, approuve Catou. Il a un corps

minuscule sous son poil.

Maya prend encore quelques clichés, puis elle dit :

— Avez-vous bientôt terminé? Il ne faudrait pas que ce petit prenne froid.

— Ça y est! dit Catou à Fripon. L'eau du bain est sale et toi, tu es propre comme un sou neuf.

Catou déplie la serviette. Béatrice sort Fripon de son bain et le pose au creux de la serviette. Catou l'emmitoufle dedans et le frotte pour le sécher.

— Oh! Regardez-le qui sort la tête! dit Béatrice. Fripon, tu es adorable!

Une fois sec, le chiot retourne dans sa cage où il se pelotonne pour faire la sieste.

Les amies passent saluer Thomas avant de partir.

— Je vous verrai donc demain. Et Marmelade sera là aussi, dit-il en riant.

En route vers la maison de Catou, les fillettes bavardent.

— Le souper sera prêt dans une demi-heure, annonce la mère de Catou en les accueillant lorsqu'elles arrivent.

— Ça veut dire qu'on n'a pas beaucoup de temps pour travailler sur l'album des chiots, fait remarquer Catou tandis qu'elle monte dans sa chambre avec ses deux amies.

— Alors, commençons par les chiots dont nous nous sommes occupées au P'tit bonheur canin, propose Maya.

Elles feuillettent leur album.

Elles regardent les dessins qu'elles ont faits de Choco, le chiot labrador, et de Mirabelle, la petite golden retriever. Elles lisent les descriptions de Zorro, le berger shetland, et des trois bichons frisés, Belle, Blanche et Bijou. Enfin, elles regardent les photos de Cajou, le chiot bouvier bernois, qu'elles ont prises durant l'exposition canine de Jolibois.

— Ils sont tous si adorables! soupire Catou.

— Maintenant, on devrait s'attaquer aux pages consacrées à Fripon, dit Béatrice. D'abord la description. Que pensez-vous de ceci : *Fripon est un chiot yorkshire-terrier de trois mois. Il a le poil noir et brun clair, une petite truffe noire et des yeux brun foncé, ronds comme des billes. Il est tout petit, mais il sait s'imposer. Il est...* Je cherche le bon mot.

— Fougueux! dit Catou. Et sûr de lui.

— Oui! approuve Maya. Je dirais même qu'il est super, hyper sûr de lui.

Catou et Béatrice pouffent de rire.

— Comme quand il a tenu tête au grand danois

en aboyant? demande Catou.

— *Exactamente!* dit Maya.

Peu après, M. Riopel, le père de Catou, les appelle pour le souper. Le repas est excellent. Puis Mme Riopel va conduire Julien, le grand frère de Catou, à sa partie de baseball. Les fillettes remontent dans la chambre de Catou et travaillent un peu sur l'album des chiots.

Au bout d'un moment, Catou remarque que Béatrice se frotte les yeux.

— Je vais rentrer à la maison, Catou, dit-elle. Merci encore pour le souper.

— Tu es sûre? dit Maya, un peu surprise. Pourquoi si tôt?

Béatrice reste silencieuse pendant un instant.

— Parce que je suis vraiment fatiguée, répond-elle finalement.

— Mais pourquoi? insiste Maya.

Béatrice ramasse son sac à dos sans même regarder Maya.

— Maya, dit Catou, Béatrice n'est pas obligée de

nous fournir des explications.

Maya, contrariée, fronce les sourcils.

— Mais moi aussi j'aimerais bien comprendre, Béatrice, poursuit Catou. On pourrait peut-être t'aider. Parfois, quand on a un problème, ça fait du bien d'en parler.

— C'est à cause de nous? demande Maya. À cause d'une chose qu'on a dite ou faite? Ou que moi, j'ai faite?

Béatrice se lève. Les bras le long du corps, elle serre les poings. Elle secoue la tête.

— Au revoir Catou, dit-elle. Au revoir Maya. À demain!

Catou reconnaît ces signes. Au début, elle croyait que Béatrice était fâchée. Mais maintenant qu'elle la connaît mieux, elle sait que ça signifie qu'elle a de la peine ou qu'elle est mal à l'aise.

— D'accord, Béatrice, se hâte de dire Catou en se relevant. Pas de problème. Viendras-tu au P'tit bonheur canin demain matin pour jouer avec Fripon, comme convenu?

— Oui, répond Béatrice avec hésitation et les yeux toujours baissés. À moins que ça vous dérange.

— Non! Non! proteste Catou énergiquement. Je veux dire : oui, on veut que tu viennes. On veut te voir, bien sûr!

— Alors d'accord, dit Béatrice. Merci pour le souper et au revoir.

Béatrice sort de la chambre et Catou l'accompagne jusqu'à la porte d'entrée. Quand elle revient, Maya est de mauvaise humeur.

— Qu'est-ce qu'elle a encore? demande-t-elle à Catou.

— Je l'ignore, répond Catou en secouant la tête.

— Pourquoi ne veut-elle rien nous dire? dit Maya. On est ses amies, quand même!

Catou hausse les épaules, puis soupire.

— Je l'ignore, répète-t-elle. Et oui, j'espère qu'on est ses amies.

CHAPITRE SEPT

Quand Catou arrive au P'tit bonheur canin samedi matin, Thomas est au téléphone. Mais il fait un geste de la main en direction de la garderie, puis brandit l'index et le majeur. Catou comprend tout de suite que Maya et Béatrice sont déjà là. Elle sourit au réceptionniste, flatte la tête de Marmelade la grognonne, puis court rejoindre ses amies.

Béatrice tient Fripon qui gigote de plaisir. Maya essaie de fixer la laisse à son collier.

— Regardez sa queue! s'exclame Maya. Elle remue

vachement! Euh… je veux dire caninement!

Béatrice glousse.

Catou sourit, puis soupire de soulagement. Elle craignait que la situation soit tendue à cause de l'incident de la veille. Mais ses deux amies semblent heureuses. Peut-être que Béatrice va bien finalement.

Elles établissent un programme pour la journée. Elles vont passer un peu de temps au P'tit bonheur canin, puis elles iront au parc. Ensuite, elles reviendront pour le dîner, et retourneront au parc dans l'après-midi.

Elles commencent par jouer à la balle avec Fripon dans la garderie. Avec des chaises, elles créent un parcours d'obstacles. Fripon suit les fillettes et

zigzague entre les chaises. Puis elles fabriquent un tunnel avec des boîtes de carton et lancent une balle dedans pour inciter le chiot à le traverser.

Ensuite, elles se rendent au parc. Elles traversent trois fois la pelouse de long en large. Elles se disent que Fripon doit commencer à être fatigué. Cependant, lorsqu'une fillette échappe un sachet de craquelins et que le vent le pousse vers Fripon, celui-ci bondit pour l'attraper. Il le secoue dans tous les sens et les craquelins volent de tous côtés. Il semble adorer le bruit de froissement que fait le sachet.

Quand Catou, Maya et Béatrice réussissent enfin à s'emparer du sachet, il ne contient plus une seule miette. Catou s'excuse auprès de la fillette et de sa maman. Mais la petite ne semble pas peinée. Au contraire, elle tape des mains en criant :

— Chienchien! Chienchien!

Les trois amies, fatiguées, décident de grimper sur la colline avec Fripon. Une fois rendues au sommet, elles s'assoient et contemplent la campagne qui s'étend à leurs pieds. Catou s'allonge et pose Fripon sur son ventre; il s'endort instantanément. Maya prend deux photos pour l'album des chiots.

Elles redescendent de la colline en courant, et c'est au tour de Catou de prendre des photos.

Les fillettes commencent à avoir faim et décident de retourner au P'tit bonheur canin. En chemin, elles discutent de chiots et de ceux qu'elles voudraient avoir un jour.

Béatrice parle de la chienne, Bella, qu'elle avait à la ferme. Bella est morte au printemps, avant que la famille déménage à Jolibois.

— Bella était un mélange de plusieurs races, dit-elle. Je la trouvais extraordinaire et je suis encore incapable d'imaginer avoir un autre chien.

— Eh bien moi, j'aimerais avoir un épagneul King-Charles, déclare Maya. Ou peut-être un yorkshire comme cet adorable petit Fripon. Non, non, plutôt un bon vieux chien de chasse qui renverse la tête en arrière et lance son long hurlement.

Maya ferme les yeux et fait une démonstration. Elle lève le menton et crie :

— *Ahouuuuu!*

Fripon s'arrête brusquement. Aux aguets, il regarde Maya.

Catou et Béatrice éclatent de rire.

— Allons, p'tit bout d'chou! lui dit Catou d'une voix douce. Tu n'as pas à avoir peur de Maya... la plupart du temps!

Les fillettes saluent Thomas en entrant dans le salon de toilettage, puis se dirigent vers la garderie.

— Je n'ai plus d'énergie! dit Maya. Comment un si petit chien peut-il en avoir autant?

— Bonne question, dit Béatrice en détachant sa laisse.

Fripon se précipite sur son bol d'eau et se met à boire.

— Saviez-vous qu'un chien n'utilise pas sa langue comme une cuillère pour boire de l'eau? demande Catou en regardant Fripon laper son eau. En réalité, il retrousse sa langue vers le bas, la plonge dans l'eau, puis la relève très rapidement. Ainsi, il soulève un petit peu d'eau qu'il doit instantanément attraper dans sa gueule avant qu'elle retombe dans le bol.

— Merci Einstein! dit Maya. Et merci aussi aux *Races de chiens dans le monde.*

— C'est vraiment étonnant, dit Béatrice, pleine d'admiration.

Et elle observe attentivement Fripon tandis qu'il boit.

— Tu n'arriveras sans doute pas à le voir, même en regardant de près, dit Catou. Moi, je l'ai vu sur une vidéo présentée au ralenti sur notre ordinateur, à la maison. Je vous la montrerai, un de ces jours. C'est extraordinaire.

— Oui, je veux bien te croire. Mais pour le moment, je meurs de faim, dit Maya d'un ton théâtral. Manger! Je veux manger! Vous avez apporté un casse-croûte n'est-ce pas? En tout cas, moi, je vais me laver les mains et ensuite, si je suis encore en vie, je titube jusqu'ici et : À l'attaque!

Et elle part en courant.

— Catou-Minou? Maya? Vous venez? ajoute-t-elle par-dessus son épaule.

— On arrive! dit Catou. Mais d'abord, je vais remettre Fripon dans sa cage.

— Non, non, ce n'est pas la peine, dit Béatrice. Je vais rester avec lui. Va te laver les mains avec Maya. Après vous le surveillerez pendant que j'irai laver les miennes.

— D'accord, dit Catou.

Elle part se laver les mains avec Maya.

Les deux amies retournent à la garderie quand Thomas les interrompt :

— Les filles, je suis en train de fixer un rendez-vous. Pourriez-vous aider ce client à mettre tous ces sacs de nourriture pour chiens dans sa voiture, s'il vous plaît?

— Bien sûr, répond Catou.

— Vos désirs sont des ordres, ajoute Maya en souriant.

Quand Maya et Catou reviennent après avoir aidé le client, Béatrice est au téléphone.

— D'accord maman, dit-elle. À tout de suite.

Elle soupire et prend son sac à dos après avoir rangé son téléphone cellulaire.

— Que se passe-t-il? demande Catou.

— Tu as un cellulaire? dit Maya, étonnée.

— C'est celui de ma mère, dit Béatrice. Elle me l'a prêté et, mauvaise nouvelle, je dois rentrer.

Maya la regarde sans rien dire.

— Tu dois y aller maintenant? dit Catou. Mais pourquoi?

— Heu... j'avais oublié qu'on allait dîner chez ma grand-mère aujourd'hui, dit Béatrice. Maman veut que j'y aille, mais elle me ramènera ici plus tard.

Catou fronce les sourcils. Elle ne pense pas que Béatrice leur dise la vérité.

Maya fait la grimace.

— Vraiment? Tu avais vraiment oublié? insiste-t-elle.

— Je reviens bientôt, dit Béatrice. Mais là, il faut que j'y aille. Ma mère passe me prendre en auto et elle va arriver d'une minute à l'autre.

— OK, dit Catou.

Et Béatrice s'en va.

CHAPITRE HUIT

— Que se passe-t-il? demande Maya. Béatrice se comporte très bizarrement. Mais bon, je meurs de faim, je vais manger.

Elle ouvre son sac à dos, en retire son casse-croûte, puis attaque son sandwich.

Catou s'assoit par terre à côté d'elle et grignote ses bâtonnets de carotte. Fripon, roulé en boule, dort devant sa cage.

— J'adore le regarder dormir! Pas toi? On peut voir ses flancs se soulever quand il respire, dit Maya.

Catou approuve d'un signe de tête. Soudain, le chiot tressaille.

— Il rêve peut-être que nous jouons au parc avec lui, dit Catou.

Catou est contente que Maya ne parle pas de Béatrice. Elle préfère ne pas avouer à son amie ce qu'elle pense vraiment. Elle ne veut pas lui dire qu'elle partage son avis. Béatrice semble leur cacher quelque chose et Catou a peur qu'en le disant à voix haute, ça devienne bien réel. Elle ne veut pas gâcher leur amitié.

Au moment où les deux amies finissent leur repas, Fripon se réveille. Il bâille à s'en décrocher la mâchoire et étire ses pattes de devant. Il se lève et tend une patte arrière, puis l'autre, pour les dégourdir. Il se secoue dans tous les sens. Les fillettes pouffent de rire.

— Il a failli tomber à la renverse! dit Maya.

Elle va le rejoindre et le prend dans ses bras.

— En forme pour recommencer à jouer? lui demande-t-elle en le flattant doucement.

— Hé! Tu dois avoir faim, Fripon, dit Catou. Tante Janine a dit de lui donner un peu de croquettes.

Elle prend le sac sur une étagère et en verse dans la gamelle de Fripon.

Maya dépose le chiot par terre et il part à grands bonds. Il renifle les croquettes, mais n'en mange pas.

— Tu n'as pas faim? demande Maya. Bon, je suppose qu'on va devoir aiguiser ton appétit.

Elle va chercher un jouet qui couine et le lance à l'autre bout de la pièce.

— À toi, Fripon, dit-elle. Rapporte!

Le chiot dresse les oreilles. Il part en courant, puis

bondit sur le jouet. Il le tient avec ses deux pattes de devant et le mordille. Puis il le saisit entre ses dents et le secoue dans tous les sens.

— D'accord, dit Catou. Maintenant, regarde ma balle.

Elle fait couiner une balle en plastique.

Fripon arrête de mordiller son jouet et tend l'oreille, la tête penchée sur le côté.

Catou fait couiner la balle de nouveau.

Fripon lâche son jouet et bondit jusqu'à la fillette. Catou lui montre la balle, la fait encore couiner, puis la lance à l'autre bout de la pièce. Le chiot s'empresse d'aller la chercher.

Catou et Maya lui lancent des jouets à tour de rôle. Puis elles jouent à cache-cache avec lui : elles dissimulent un jouet, puis l'aident à le trouver. Ensuite, elles lui mettent sa laisse et lui apprennent à marcher correctement.

Fripon finit par se pelotonner pour faire une autre petite sieste. Catou va chercher une bouteille de jus dans son sac à dos.

— Béatrice devrait bientôt revenir, dit-elle. Tu veux qu'on emmène Fripon au parc quand elle arrive?

Maya ne répond pas. Elle semble contrariée. Elle fouille toutes les poches extérieures de son sac à dos. Puis elle cherche à l'intérieur.

— Un problème? dit Catou.

Maya retourne son sac et le secoue. Toutes sortes d'objets en tombent : un cahier, des stylos, quatre pierres polies, quelques sous et un bandeau à paillettes pour les cheveux.

— Qu'y a-t-il? demande Catou.

— Elle n'est plus là, dit Maya en se relevant et en croisant les bras. Incroyable! Elle l'a prise. Elle n'est plus là!

— Qu'est-ce qui a disparu? demande Catou. Quelqu'un a pris quelque chose?

— Béatrice, grogne Maya. Il y avait une tablette de chocolat dans une des poches de mon sac et, maintenant, elle n'y est plus.

— Mais pourquoi Béatrice l'aurait-elle prise?

demande Catou, mal à l'aise. Ce n'est peut-être pas elle.

— Où est-elle passée alors? À moins que ce soit toi, Catou-Minou! lance Maya d'un ton rageur.

— Bien sûr que non! dit Catou.

— OK, reprend Maya. Mais alors, où est-elle passée?

C'est alors que Fripon gémit dans son sommeil.

Soudain, Catou imagine le pire : Fripon aurait-il mangé la tablette de chocolat?

— Où était ton sac? demande Catou, inquiète, en se levant d'un bond. Et où exactement était le chocolat?

— Dans la poche de côté, répond Maya. Et mon sac était là, par terre, à côté du tien. Pourquoi?

— Fripon aurait-il pu le trouver? Et si c'était lui qui avait mangé le chocolat? dit Catou en détachant les syllabes.

— Peut-être bien, dit Maya. Mais alors, où est passé l'emballage?

— Les chiots mangent tout ce qu'ils trouvent. Fripon peut très bien l'avoir avalé, dit Catou, la voix chevrotante. C'est tout à fait son genre! Il aime mâchouiller. Il a probablement adoré le bruit de papier froissé que faisait l'emballage de ton chocolat.

— Mais quand aurait-il pu faire ça? dit Maya. Nous étions presque tout le temps avec lui.

— Peut-être ce matin avant d'aller au parc, dit Catou. On s'est toutes absentées de temps en temps pour aller parler à tante Janine ou pour aller aux toilettes.

Catou, malade d'inquiétude, se tient le ventre avec les bras.

— Ou encore, avant le dîner, poursuit-elle. Nous sommes toutes les deux sorties pour nous laver les mains. Puis nous avons aidé un client à mettre les sacs de nourriture pour chiens dans sa voiture. Béatrice est restée ici, mais elle a passé un bon moment au téléphone avec sa mère. Peut-être qu'elle n'a pas bien surveillé Fripon?

— OK, dit Maya. Supposons qu'il ait mangé la tablette de chocolat. Qu'est-ce que ça peut faire? Rien de dramatique, j'espère!

Catou a la gorge serrée. Elle inspire profondément, puis dit :

— Le chocolat est toxique pour les chiens.

Maya blêmit.

— Oh non! s'exclame-t-elle en courant vers Fripon, suivie de Catou. Mais ce p'tit bout d'chou a l'air de bien aller. Il dort. Une tablette de chocolat pourrait-elle vraiment le rendre très malade?

— Le chocolat contient une substance appelée

théobromine, explique Catou. Et aussi de la caféine, comme dans le café. Et toutes deux sont très toxiques pour les chiens. Plus le chien en mange et plus il est petit, plus elles sont dangereuses. Ça dépend aussi de la sorte de chocolat.

— C'était du chocolat au lait, dit Maya.

— Alors c'est moins grave, dit Catou. C'est le moins toxique. Mais Fripon est si petit que même une tablette de chocolat au lait pourrait le rendre malade.

Maya s'accroupit à côté du chiot.

— Comment fait-on pour savoir s'il souffre d'un empoisonnement au chocolat? demande Maya.

Catou réfléchit.

— Il peut vomir, répond-elle. Avoir la diarrhée ou faire pipi tout le temps. Il peut avoir mal au ventre et se mettre à baver. Il peut devenir nerveux ou fébrile.

— Il n'a rien de tout cela, dit Maya. En plus, il dort. Ce doit être bon signe, non?

— Oui, répond Catou. Mais je ne suis pas une experte. Je ne sais pas combien de temps il faut pour que le chocolat fasse effet. Si Fripon a mangé ta tablette, les symptômes de l'empoisonnement ne sont peut-être pas encore visibles.

Sa voix tremble.

— Il n'a pas voulu manger ses croquettes, poursuit-elle. Il avait peut-être mal au ventre ou bien le chocolat lui avait coupé l'appétit. Dans les deux cas, ce n'est pas bon signe.

Elle s'accroupit à côté de Fripon.

— Dis donc, p'tit bout d'chou, murmure-t-elle à l'oreille du chiot ensommeillé. As-tu mangé le chocolat? As-tu mangé toute la tablette, y compris l'emballage?

— Je suis sûre que Béatrice l'a prise, dit Maya d'un ton convaincu. Et je suis certaine qu'elle nous fait des cachotteries depuis quelques jours. D'ailleurs, tu le penses toi aussi. Alors elle peut très bien avoir pris le chocolat sans rien dire, tu ne crois pas?

— Je ne sais pas pour les cachotteries, répond Catou. Mais pour le chocolat, ce serait un vol, et je ne crois pas que Béatrice en soit capable.

Elle essaie de rester calme, mais dans son for

intérieur, elle sait qu'elle commence à paniquer.

— Si seulement on pouvait poser la question directement à Béatrice, ajoute-t-elle.

— Tu dis qu'elle va bientôt arriver, réplique Maya. Alors attendons-la et posons-lui la question. Si elle n'a pas pris mon chocolat, on va vite avertir tante Janine.

Catou réfléchit quelques secondes avant de répondre.

— Attendre est risqué, finit-elle par dire.

— Mais ta tante est archi-occupée. Et elle sera sans doute fâchée. C'est stupide de ma part d'avoir laissé traîner mon sac à dos par terre, avec une tablette de chocolat dedans, à la portée de Fripon. Si on le dit à ta tante, elle ne voudra peut-être plus qu'on vienne s'occuper des chiots et ce sera entièrement ma faute, rétorque Maya dont les lèvres commencent à trembler.

Elle semble si désespérée que Catou s'approche d'elle pour la réconforter.

— Maya, c'est juste une erreur, dit-elle en

prenant son amie par les épaules. Personne ne te le reprochera.

— Mais si Fripon tombait vraiment malade? demande Maya, folle d'angoisse. Et s'il en mourait?

Catou espérait que Maya déciderait de ce qu'il fallait faire, mais elle se rend compte qu'elle doit prendre la situation en main. Elle a soudain une idée très claire.

— Maya, c'est justement pour cette raison qu'on doit avertir tante Janine tout de suite, dit Catou en la regardant dans les yeux. Il faut absolument lui dire que Fripon a peut-être mangé une tablette de chocolat. On ne peut pas attendre le retour de Béatrice. Tu comprends?

Maya hoche la tête.

— Oui, tu as raison, dit-elle. Mais j'ai si peur!

Elle jette un coup d'œil du côté du chiot qui dort toujours.

— Il faut s'assurer que Fripon n'est pas en danger.

CHAPITRE NEUF

— Coucou Catou! Coucou Maya! clame Béatrice en entrant en trombe dans la garderie. Me revoilà!

Mais en voyant la tête de ses deux amies, elle perd son sourire.

— Que se passe-t-il? demande-t-elle. Qu'est-ce qui ne va pas?

Catou se précipite sur Béatrice.

— Oh Béatrice! dit-elle. Nous sommes si contentes que tu sois là! On pense que Fripon a mangé la tablette de chocolat qui était dans une des poches du sac à dos de Maya.

— Le chocolat peut être toxique, surtout pour un si petit chien, ajoute Maya. Il faut tout de suite aller avertir tante Janine!

— Oh! s'exclame Béatrice, les bras pendants.

Maya la regarde de près.

— Est-ce que c'est toi qui as mangé ma tablette de chocolat? dit-elle. Allez, avoue!

— Non! rétorque Béatrice, le regard dur.

— Je ne te crois pas! crie Maya. Comment peux-tu mentir?

Béatrice met ses mains sur ses hanches.

— Je ne mens pas! proteste-t-elle. J'ai dit que je ne l'avais pas prise et c'est la vérité. Mais je sais où elle est! Un peu avant que ma mère m'appelle tout à l'heure, Fripon reniflait ton sac à dos et il a pris la tablette de chocolat dans la poche!

Catou en a le souffle coupé. *Oh non!* se dit-elle. *Fripon a mangé le chocolat. Il va... Il va peut-être...*

Catou et Maya échangent un regard inquiet.

— Vous savez que c'est très difficile de lui

reprendre ce qu'il attrape! dit Béatrice.

Elle regarde le chiot qui dort toujours profondément.

— J'ai dû prendre un jouet dans le panier et le faire couiner des millions de fois, poursuit-elle. Et aussi le lancer en l'air et le faire rouler par terre. Il a fini par lâcher la tablette de chocolat et par prendre le jouet. Et j'ai rangé le chocolat en hauteur, dans un endroit où j'étais sûre qu'il ne pourrait pas l'attraper!

Béatrice indique l'étagère la plus haute.

— Puis ma mère a appelé et j'ai dû partir, poursuit-elle. Désolée de ne pas vous avoir averties, mais c'est la vérité! Je ne t'ai pas volé ton chocolat, Maya!

— Donc Fripon a vraiment trouvé le chocolat, dit Maya. Mais tu as réussi à le lui reprendre et il ne l'a pas mangé?

— Exactement, dit Béatrice.

— Oh! Dieu merci! s'exclame Maya, rassurée.

Catou soupire de soulagement. *Fripon n'a rien!* se dit-elle. *Fripon va bien!*

Puis Maya regarde Béatrice d'un air fâché.

— Pourquoi ne pas nous l'avoir dit? demande-t-elle. Nous étions mortes d'inquiétude!

— Désolée, réplique Béatrice en regardant Maya droit dans les yeux. Je ne pensais pas que c'était si important. Je ne savais pas que le chocolat était toxique pour les chiens. Je n'ai pas réalisé que vous alliez penser qu'il l'avait pris et il fallait que je parte.

— Tu n'as pas à t'en faire, Béatrice, dit Catou. Tout est rentré dans l'ordre maintenant. Maya non plus n'était pas au courant pour le chocolat et Fripon va bien. C'est tout ce qui compte.

Mais Maya est encore fâchée.

— On a eu peur, Béatrice! dit-elle. On craignait que Fripon ne soit malade à cause du chocolat. Et on n'osait pas dire à tante Janine qu'il l'avait peut-être mangé alors que nous étions censées le surveiller!

Béatrice approuve d'un signe de tête et se frotte les yeux. On dirait qu'elle va pleurer.

— Mais je n'aurais pas dû t'accuser d'avoir volé la tablette de chocolat, poursuit Maya en posant la main sur le bras de Béatrice. Et j'aurais dû te croire quand tu disais que ce n'était pas toi. Excuse-moi, Béatrice.

Béatrice esquisse un sourire.

— Pas de problème, dit-elle.

— Finalement, tu as sauvé la vie de Fripon, conclut Maya. Pas vrai, Catou?

— Oui, en effet, dit Catou en souriant.

— Et j'avais tort de ne pas vouloir avertir ta tante au sujet de Fripon, dit Maya en secouant la tête. J'ai été stupide. Je déteste qu'on soit fâché contre moi et je ne voulais pas que ta tante soit en colère. J'avais peur d'avoir des ennuis.

— Moi aussi, j'ai eu peur de vous parler de quelque chose qui me concerne. C'est ce qui explique pourquoi je suis si fatiguée, dit Béatrice. Je me faisais du souci pour ma grand-mère qui est malade et qui a dû se faire opérer hier. Ma mère m'a appelée juste avant le dîner pour me dire que nous pouvions aller la voir...

— Oh! Béatrice! dit Catou. Quelle terrible nouvelle!

— Mais elle va bien, réplique Béatrice qui marque une pause pour inspirer profondément. On l'a appris quand on s'est rendus à l'hôpital.

— Super! dit Maya en approuvant de la tête. Bonne nouvelle! Très bonne nouvelle!

Béatrice essuie une larme.

— Mais pourquoi ne pas nous en avoir parlé plus tôt? demande Catou. Tu aurais pu nous le dire quand tu es venue souper à la maison!

— Comme je vous l'ai dit, j'avais peur, explique

Béatrice. J'étais incapable de vous parler de ma grand-mère. Je n'avais pas peur de ce que Maya et toi me diriez. Je voulais vraiment vous le dire, mais... les mots restaient coincés dans ma gorge. J'avais l'impression que si je n'en parlais pas, ce serait moins réel.

Catou serre l'épaule de Béatrice.

— Je vois exactement ce que tu veux dire.

— J'aurais dû vous en parler, poursuit Béatrice d'une voix étranglée. Je me serais probablement sentie réconfortée en vous le disant à toutes les deux, en me confiant à mes amies.

Soudain, Fripon bâille et ouvre les yeux. Il s'étire de tout son long, les pattes de devant bien raides et le derrière en l'air.

Les fillettes pouffent de rire. Il est si mignon!

Catou le prend dans ses bras.

— Espèce de petit garnement! le gronde-t-elle. Tu nous as fait une de ces peurs avec ce chocolat! Heureusement, Béatrice t'a surpris à le voler et a pu te le reprendre!

Catou serre le chiot contre elle. Fripon remue la queue et lui lèche le nez. Elle le dépose dans les bras de Béatrice. Sans vraiment savoir pourquoi, elle sait que ce geste va arranger les choses.

Et bien sûr, après avoir raconté ce qui se passait, Béatrice se sent mieux. Elle enfouit son nez dans les poils soyeux du chiot. Quand elle relève la tête, un grand sourire illumine son visage. Mais Fripon se met à gigoter dans ses bras. Elle le pose par terre et il se précipite vers sa laisse. Il bondit dessus, la saisit entre ses mâchoires et la secoue dans tous les sens.

— Béatrice... dit Maya, les bras croisés et l'air grave.

Oh non! se dit Catou, inquiète de ce que Maya s'apprête à dire.

— Je suis vraiment contente d'apprendre que ta grand-mère va mieux, dit-elle. Et je suis contente que tu nous l'aies dit. Mais maintenant, on devrait retourner au parc avec ce chiot qui ne tient pas en place. Regardez-le! Il n'en peut plus d'attendre!

Les trois amies éclatent de rire. Fripon remue la queue de bonheur et secoue de nouveau sa laisse dans tous les sens.

— OK, dit Catou. En route!

CHAPITRE DIX

Les fillettes passent le reste de l'après-midi au parc avec Fripon. À tour de rôle, elles le font courir d'un bout à l'autre du terrain. Elles lui lancent une balle et il court pour l'attraper en tirant sur sa laisse rétractable jusqu'au bout. Elles en profitent aussi pour prendre d'autres photos de lui pour l'album des chiots.

Au bout d'un moment, elles s'assoient sous les arbres qui bordent le parc. Catou installe Fripon sur ses genoux. Le chiot fatigué soupire de bonheur,

puis s'endort instantanément. Catou flatte son poil soyeux. Elle va avoir du mal à s'en séparer à la fin de la journée. Il est si adorable avec sa petite truffe noire et ses yeux brun foncé.

— Alors Béatrice, quand ta grand-mère va-t-elle sortir de l'hôpital? demande Maya.

— Maya! proteste Catou qui s'imagine que Béatrice ne souhaite pas en parler.

Mais à la grande surprise de Catou, Béatrice sourit.

— On ne sait pas exactement, mais bientôt,

répond-elle. Le docteur a dit peut-être dans trois ou quatre jours.

— Bonne nouvelle! dit Maya.

Catou cajole Fripon tout en repensant à la tablette de chocolat. Heureusement, le chiot va bien. L'incident aurait pu tourner au drame. Mais rien n'est arrivé. Fripon est blotti sur ses genoux. Elle regarde Maya et Béatrice qui rient ensemble. Le pire des désastres a été évité! Finalement, tout s'est bien passé. *Et en plus,* se dit Catou en posant un petit baiser sur la tête du chiot, *la journée n'est pas encore terminée.*

Fripon

COLLE
J'♡ LES CHIENS

L'album des chiots : une collection de chiots irrésistibles Découvre-les tous!

ISBN 978-1-4431-2429-4

ISBN 978-1-4431-2430-0

ISBN 978-1-4431-2431-7

ISBN 978-1-4431-3359-3

ISBN 978-1-4431-336